Lobos

Laura Marsh

RBA

Para Bonnie. L.F.M.

Todos los lobos de las ilustraciones son lobos comunes, a menos que se indique lo contrario.

Título original: *Wolves*
Autora: Laura Marsh.
Copyright © 2012 National Geographic Society.
Publicado por primera vez por National Geographic Society, Washington, D.C. 20036. Todos los derechos reservados.
La reproducción total o parcial de esta obra sin el permiso escrito del editor está estrictamente prohibida.
© de la traducción: Nuria Barroso, 2013.
© de esta edición: RBA Libros, S.A., 2013.
Avda. Diagonal, 189 - 08018 Barcelona.
rbalibros.com
Diseño: YAY! Design.
Revisión científica: Carlos Cistué.
Primera edición: septiembre de 2013.
REF.: NGLI665
ISBN: 978-84-8298- 553-4
DEPÓSITO LEGAL: B. 17.474-2013

Créditos de las imágenes. Cubierta: Altrendo Nature/Altrendo RR/Getty Images; 1: Lynn M, Stone/Kimball Stock; 2: Tom Leeson/NationalGeographicStock.com; 4-5: Digital Vision; 6: Jim Brandenburg/NationalGeographicStock.com; 7 (arriba): Wildlife GmbH/www.kimballstock.com; 7 (en medio): Zerlina Chen/Your Shot/NationalGeographicStock.com; 7 (abajo): Ana Gram/Shutterstock; 8 (A): Eric Isselée/iStockphoto.com; 8 (B): Joel Sartore/NationalGeographicStock.com; 8 (C): Rtoft/NationalGeographicStock.com; 8 (D): Ann y Steve Toon/Robert Harding/Getty Images; 8 (E): lifeonwhite.com/iStockphoto.com; 8 (abajo): Valerii Kaliuzhnyi/iStockPhoto.com; 9 (izquierda): Stanislaw Pytel/iStockPhoto.com; 9 (derecha): Joseph Van Os/The Image Bank/Getty Images; 10 (arriba): Kimball Stock; 10 (abajo): Lisa A. Svara/Shutterstock; 12-13: E. A. Janes/SuperStock; 14-15: Joel Sartore/NationalGeographicStock.com; 17: Corbis Flirt/Alamy; 19: Jacqueline Crivello/Your Shot/NationalGeographicStock.com; 20-21: John Pitcher/iStockphoto.com; 20: Jim Brandenburg/Mindren Pictures; 22: Robert Harding World Imagery/Getty Images; 23: Picture Press/Alamy; 24 (arriba, izquierda): First Light/Getty Images; 24 (arriba, derecha): Fedor Kondratenko/Stockphoto.com; 24 (abajo, izquierda): iStockphoto.com; 24 (abajo, derecha): Images in the Wild/iStockphoto.com; 25 (arriba, izquierda): Dario Egidi/StockPhoto.com; 25 (arriba, derecha): Jim Brandenburg/Minden Pictures; 25 (abajo, izquierda): Marcia Straub/iStockphoto.com; 25 (abajo, derecha): Digital Vision; 26: Rolf Hicker/photolibrary.com; 27: Jean-Edouard Rozey/Shutterstock; 28-29: Joel Sartore/NationalGeographicStock.com; 30 (arriba): Galyna Andrushko/Shutterstock; 30 (en medio): Tammy Wolfe/iStockphoto.com; 30 (abajo): J.-E. ROZEY/iStockphoto.com; 31 (arriba, izquierda): Paolo Capelli/NationalGeographic My Shot/NationalGeographicStock.com; 31 (arriba, derecha): Joel Sartore/NationalGeographicStock.com; 31 (abajo, izquierda): Acilo/iStockphoto.com; 31 (abajo, derecha): Marek Brzezinski/iStockphoto.com; 32 (arriba, izquierda): Jacqueline Crivello/Your Shot/NationalGeographicStock.com; 32 (arriba, derecha): Jim Brandenburg/Minden Pictures; 32 (izquierda, en medio): Stanislaw Pytel/iStockphoto.com; 32 (derecha, en medio): Franco Tempesta; 32 (abajo, izquierda): Design Pics Inc./Alamy; 32 (abajo, derecha): Jeff Lepore/Photoresearchers, Inc.

Sumario

¿Qué es ese sonido?

¡Auuuuuu!

Un aullido solitario. Luego se oyen más, muchos más… y se te pone la piel de gallina.

¿Quién produce este sonido espeluznante?

¡Los lobos!

Lobos por todas partes

Hay lobos por todo el planeta. Viven en lugares donde hace mucho calor, como los desiertos; en bosques y montañas, y en lugares tan fríos como el Polo Norte.

El tipo de lobo más conocido es el lobo común o gris.

Hay más de treinta clases de lobos comunes, pero, aunque la mayoría son grises, también hay lobos comunes de color marrón, negro, canela y blanco.

lobo ibérico

lobo ártico o polar

lobo gris

Perros y lobos

Los lobos son los miembros más grandes de la familia de los perros. También pertenecen a ella los zorros, los coyotes, los chacales, los perros salvajes y los perros domésticos.

zorro rojo

coyote

chacal

perro salvaje africano o licaón

perro doméstico

lobo

pastor alemán

lobo gris

Los perros, nuestras mascotas, son parientes del lobo, y por eso se parecen tanto.

¡Híncale el diente!

DOMÉSTICO: domado y cuidado por los humanos.

Entre los lobos y los perros también hay muchas diferencias.

Los lobos tienen el hocico más largo, las mandíbulas más fuertes y los dientes más largos. Los perros tienen la cabeza más redonda y las patas más cortas.

Pero la mayor diferencia es que a los perros les gusta estar con las personas, mientras que a los lobos les gusta estar con otros lobos.

Vivir en manada

Los lobos viven en grupos familiares llamados manadas. Cada manada está formada por un macho y una hembra, sus cachorros y unos cuantos lobos más.

Una manada suele reunir entre seis y diez lobos.

Los lobos se necesitan los unos a los otros para cazar, protegerse y cuidar de sus cachorros. Un lobo no puede sobrevivir solo.

De caza

Los lobos son buenos cazadores.
Pueden recorrer muchos kilómetros
sin cansarse y son más veloces
que la mayoría de sus presas.

Se alimentan de animales pequeños,
como los conejos, y también de otros
mucho más grandes, como los alces,
venados, caribúes, ciervos y bisontes.

Los lobos son tan voraces
que son capaces
de comer nueve
kilos de carne
en cada comida,
es decir, unas...
¡doscientas salchichas!

**¡Híncale
el diente!**

PRESA: animal
que sirve
de alimento
a otro animal.

El lenguaje de los lobos

¿Qué tipo de «lenguaje» usan los lobos para «hablar» con la manada? Los lobos se comunican mediante gemidos, ladridos, gruñidos y rugidos. Pero lo más característico son sus aullidos.

Un lobo aúlla cuando tiene que decir algo desde muy lejos. Sus compañeros le contestan en el acto con más aullidos.

Los líderes de la manada

Los líderes de la manada se llaman lobos alfa. Todas las manadas tienen un macho y una hembra alfa, que son los más listos y los mejores cazadores.

Los lobos alfa guían a la manada, dirigen la cacería, deciden dónde tienen que dormir y son los primeros en comer.

¡Híncale el diente!

ALFA: líder de un grupo.

Un lobo alfa pone su hocico encima del de un miembro de la manada, para mostrarle quién manda.

Lobatos

Los lobatos son las crías de los lobos. En cada camada, nacen entre cuatro y seis cachorros.

Pesan medio kilo al nacer, y no pueden ver ni oír. Las dos primeras semanas de vida las pasan acurrucados junto a su madre en la madriguera.

Cada día que pasa son más grandes y fuertes. A las tres semanas de vida, los lobatos dejan la madriguera y empiezan a explorar.

¡Híncale el diente!

CAMADA: conjunto de animales que nacen a la vez.

MADRIGUERA: lugar oculto en una cueva o bajo tierra, donde viven algunos animales.

Cuando los lobatos se hacen más fuertes, entonces otros lobos de la manada también cuidan de ellos. Los protegen y les proporcionan comida mientras el resto de la manada se dedica a cazar.

P ¿En qué se convierte el lobo que camina con dos patas?

R En hombre lobo.

Cuando los cachorros tienen seis meses, ya pueden empezar a cazar junto con los adultos. Cuando tienen dos o tres años, abandonan el grupo para formar su propia manada.

Las 8 maravillas del lobo

1 Los lobatos abren los ojos a las dos semanas de vida.

2 El lobo tiene un sentido del olfato cien veces más afinado que el del ser humano.

3 Para sobrevivir, los lobatos necesitan el calor corporal de su madre.

4 Cada lobo tiene su propio aullido, que es distinto al de los otros lobos.

5 Los lobos no suelen cazar fuera de su territorio.

6 Los cachorros aprovechan los huesos y las pieles de las piezas de caza para jugar.

7 El macho alfa suele caminar con la cola y las orejas levantadas para mostrar que él es el jefe.

8 Los lobos pueden recorrer hasta 19 kilómetros en un día.

En peligro

Los lobos casi nunca atacan a los humanos porque les tienen miedo, pero sí atacan a los animales de granja. Por esa razón, los hombres han matado millones de lobos. Por ello, los lobos se están extinguiendo en muchas regiones del planeta.

Pieles de lobos asesinados por cazadores.

Solo queda un centenar de lobos rojos en estado salvaje.

Para evitar su desaparición, los hombres han aprobado leyes que los protegen. Gracias a ellas, los lobos están regresando a muchos lugares de todo el mundo.

¡Híncale el diente!

ANIMAL EXTINGUIDO: ser vivo que ya no existe. Cuando todos los individuos de una especie han muerto, se dice que la especie está extinguida.

El regreso de los lobos

En 1926 se extinguieron los lobos en el Parque Nacional de Yellowstone (Estados Unidos). Al cabo de los años, habían nacido tantos ciervos que el parque se quedaba sin hierba.

En 1995, unos científicos
trasladaron unos cuantos lobos
de Canadá a Yellowstone.
Una vez allí, los lobos
se reprodujeron y
tuvieron sus lobatos.

Gracias a ello, hoy en día,
Yellowstone vuelve a ser
el hogar de un centenar
de lobos y se ha recuperado
el equilibrio entre las especies.

Sorprende a tus padres

¿Sabrían tus padres contestar estas preguntas sobre los lobos? ¡Seguro que tú sabes más que ellos!

La solución a las preguntas está al pie de la página 31.

1

¿Dónde viven los lobos?

A. En el desierto
B. En las montañas
C. En el bosque
D. En los tres lugares anteriores

2

Cuando un lobo «habla» con otro desde muy lejos, lo hace...

A. Piando
B. Chillando
C. Aullando
D. Zumbando

3

¿Qué clase de lobo es la más conocida?

A. El lobo rojo
B. El lobo común
C. El lobo italiano
D. El hombre lobo

4

¿Cómo se llama el líder de una manada de lobos?

A. Primer lobo
B. Presidente
C. Lobo alfa
D. Jefe

5

¿Cómo se llama una cría de lobo?

A. Lobito
B. Ternero
C. Lobato
D. Potro

6

Hoy en día hay menos lobos por culpa de...

A. Los cazadores
B. La contaminación
C. Los huracanes
D. Las enfermedades

7

¿Qué comen los lobos?

A. Hamburguesas con patatas fritas
B. Bayas y hierba
C. Insectos
D. Conejos, venados y ciervos

ALFA: el líder de un grupo.

ANIMAL EXTINGUIDO: ser vivo que ya no existe. Cuando todos los individuos de una especie de animales han muerto, se dice que la especie está extinguida.

CAMADA: conjunto de animales que nacen a la vez.

DOMÉSTICO: domado y cuidado por los humanos.

MADRIGUERA: lugar oculto en una cueva o bajo tierra, donde viven algunos animales.

PRESA: animal que sirve de alimento a otro animal.